10歳の君に贈る、心を強くする26の言葉

哲学者から学ぶ生きるヒント

著 岩村太郎

えほんの杜

はじめに――「心《こころ》の小部屋《こべや》」を増《ふ》やそう

古代《こだい》から数々《かずかず》の哲学者《てつがくしゃ》は、世界《せかい》や人間《にんげん》について考《かんが》えてきた。
いまだに答《こた》えが出《で》ないもの、真理《しんり》を追究《ついきゅう》したもの、人《ひと》の心《こころ》を救《すく》うもの…。
しかし世界《せかい》はとても広《ひろ》く、まだまだ多《おお》くの謎《なぞ》に包《つつ》まれている。

子《こ》どものころから哲学《てつがく》について考《かんが》えると、心《こころ》が強《つよ》くなるんだよ。
心《こころ》が強《つよ》くなると、自然《しぜん》と相手《あいて》のことも考《かんが》えられるようになるよ。
これは人《ひと》が成長《せいちょう》するためにはとても大切《たいせつ》なことなんだ。

考《かんが》えることは、人間力《にんげんりょく》を高《たか》めること。人間力《にんげんりょく》を高《たか》めることは、
成熟《せいじゅく》した大人《おとな》になり、現代《げんだい》を生《い》きる力《ちから》をつけることでもある。

新《あたら》しい発見《はっけん》をしたり、何《なに》かを信《しん》じると、心《こころ》の中《なか》に〝小《ちい》さな部屋《へや》〟ができるんだ。
これを「心《こころ》の小部屋《こべや》」と呼《よ》んでいるよ。

君《きみ》が幼《おさな》いころに信《しん》じていたものの中《なか》には、

科学《かがく》では否定《ひてい》されたものもあるだろう。
サンタクロースや魔法使《まほうつか》い、妖精《ようせい》、妖怪《ようかい》…。
それらは、目《め》に見《み》える姿《すがた》や形《かたち》はないけれど、
今《いま》でも君《きみ》の心《こころ》の小部屋《こべや》に住《す》んでいるよ。

これは大人《おとな》になっても変《か》わらずあり続《つづ》けるもので、
君《きみ》の人生《じんせい》を豊《ゆた》かにするものなんだ。

日々《ひび》の学校生活《がっこうせいかつ》や友達関係《ともだちかんけい》で、
先生《せんせい》や家族《かぞく》、友達《ともだち》にも言《い》えない悩《なや》みや疑問《ぎもん》はあるよね。
それらを、哲学者《てつがくしゃ》の言葉《ことば》を使《つか》いながら、ひとつずつ考《かんが》えていこう。

哲学《てつがく》を通《とお》して、君《きみ》は今《いま》まで意識《いしき》したことがなかった世界《せかい》を見《み》るだろう。
これからいろいろなことを知《し》って、心《こころ》の小部屋《こべや》をたくさん増《ふ》やしてほしい。
そして心《こころ》が豊《ゆた》かで力強《ちからづよ》く、魅力的《みりょくてき》な人《ひと》になろう。

岩村太郎《いわむらたろう》

10歳《さい》の君《きみ》に贈《おく》る、心《こころ》を強《つよ》くする26の言葉《ことば》

哲学者《てつがくしゃ》から学《まな》ぶ生《い》きるヒント　目次《もくじ》

第《だい》1章《しょう》　自分《じぶん》についての言葉《ことば》

CONTENTS

第《だい》2章《しょう》　友達《ともだち》についての言葉《ことば》

第《だい》3章《しょう》 悪《あく》についての言葉《ことば》

第《だい》4章《しょう》 生《い》き方《かた》についての言葉《ことば》

CONTENTS

哲学者《てつがくしゃ》の人物紹介《じんぶつしょうかい》

この本《ほん》の中《なか》でも特《とく》に有名《ゆうめい》で、哲学《てつがく》を考《かんが》える上《うえ》でとても重要《じゅうよう》な哲学者《てつがくしゃ》について説明《せつめい》するよ。

タレス（BC624ごろ～BC546ごろ）

ギリシア七賢人《しちけんじん》のひとりで、「ミレトスのタレス」とも呼《よ》ばれるよ。アリストテレスによって「哲学《てつがく》の創始者《そうししゃ》」と言《い》われた。タレス自身《じしん》が書《か》いた本《ほん》は残《のこ》ってはいないけれど、「万物《ばんぶつ》の根源《こんげん》は水《みず》である」という言葉《ことば》が有名《ゆうめい》だよ。

KEYWORD

「最《もっと》も困難《こんなん》なことは自分自身《じぶんじしん》を知《し》ることであり、最《もっと》も容易《ようい》なことは他人《たにん》に忠告《ちゅうこく》することである」（➡P17）

ソクラテス（BC470ごろ～BC399）

アポロン神殿《しんでん》の巫女《みこ》に「ソクラテス以上《いじょう》の賢者《けんじゃ》はいない」と言《い》われたソクラテス。「汝自身《なんじじしん》を知《し》れ」と自分自身《じぶんじしん》が何者《なにもの》かを追求《ついきゅう》した哲学者《てつがくしゃ》だ。たくさんの弟子《でし》がいて、プラトンもそのひとり。死刑判決《しけいはんけつ》を受《う》けた時《とき》に「悪法《あくほう》も法《ほう》なり」と言《い》って脱獄《だつごく》を拒《こば》み、毒《どく》ニンジンの杯《さかずき》をあおって死《し》んだと言《い》われているよ。

KEYWORD

「無知《むち》の知《ち》」（➡P13）

「ただ生《い》きるのではなく、善《よ》く生《い》きる」（➡P41）

ヒポクラテス（BC460ごろ～BC375ごろ）

科学《かがく》と医学《いがく》を発展《はってん》させ、西洋医学《せいよういがく》に大《おお》きな影響《えいきょう》を与《あた》えたヒポクラテスは「医学《いがく》の父《ちち》」と呼《よ》ばれている。医師《いし》の倫理《りんり》について書《か》かれた宣誓文《せんせいぶん》「ヒポクラテスの誓《ちか》い」は現代《げんだい》にも語《かた》り継《つ》がれているんだ。

KEYWORD

「心《こころ》は“脳《のう》”にある」（➡P63）

プラトン（BC427～BC347）

プラトンはソクラテスの弟子《でし》で、西洋哲学《せいようてつがく》に多大《ただい》な影響《えいきょう》を残《のこ》した哲学者《てつがくしゃ》。プラトンは人《ひと》の魂《たましい》はかつて天上《てんじょう》にいて「イデア」を見《み》ていたが、地上《ちじょう》に降《お》りてきた時《とき》に多《おお》くを忘《わす》れてしまったと考《かんが》えた。アテナイ郊外《こうがい》に「アカデミー」の語源《ごげん》となる、「アカデメイア」を設立《せつりつ》した人物《じんぶつ》だ。

KEYWORD

「人間《にんげん》は“ふたりでひとり”だった」（➡P35）
「イデア」（➡P55）「霊魂不滅《れいこんふめつ》」（➡P69）

アリストテレス（BC384～BC322）

アリストテレスは17歳《さい》のころにアカデメイアに入門《にゅうもん》しているよ。この時《とき》プラトンは60歳《さい》ごろだった。プラトンが亡《な》くなるまでのおよそ20年間《ねんかん》、アカデメイアで勉学《べんがく》に励《はげ》んだ。アリストテレスは「万学《ばんがく》の祖《そ》」と呼《よ》ばれ、現実主義《げんじつしゅぎ》の哲学《てつがく》を説《と》いたんだ。

KEYWORD

「人間《にんげん》はポリティカルなアニマルである」（➡P31）
「心《こころ》は“胸《むね》（心臓《しんぞう》）”にある」（➡P63）

フランシス・ベーコン（1561〜1626）

イギリスの哲学者《てつがくしゃ》で政治家《せいじか》のフランシス・ベーコンは、知識《ちしき》や理性《りせい》はすべて経験《けいけん》によって作《つく》られると考《かんが》えていたんだ。「イギリス経験論《けいけんろん》の祖《そ》」とされている。経験《けいけん》によって答《こた》えを導《みちび》き出《だ》す方法《ほうほう》を「帰納法《きのうほう》」と言《い》うよ。

KEYWORD

「知《ち》は力《ちから》なり」（➡P49）「イドラ」（➡P53）

ルネ・デカルト（1596〜1650）

フランスの哲学者《てつがくしゃ》で自然科学者《しぜんかがくしゃ》、ルネ・デカルトは「近代哲《きんだいてつ》学《がく》の祖《そ》」と呼《よ》ばれているよ。人《ひと》はもともと「生得観念《せいとくかんねん》」という生《う》まれつきの知識《ちしき》を持《も》っていると考《かんが》えた。これを「大陸合《たいりくごう》理論《りろん》」と言《い》って、フランシス・ベーコンのイギリス経験論《けいけんろん》と対立《たいりつ》したんだ。

KEYWORD

「我思《われおも》う、ゆえに我《われ》あり」（➡P63）

マルティン・ブーバー（1878〜1965）

「対話《たいわ》の哲学《てつがく》」と言《い》われるのが、ユダヤ系宗教哲学者《けいしゅうきょうてつがくしゃ》のマルティン・ブーバーだ。人《ひと》との精神的《せいしんてき》なつながりを大切《たいせつ》にしていて、自分《じぶん》と相手《あいて》が語《かた》り合《あ》うことで世界《せかい》が広《ひろ》がっていくと考《かんが》えていたんだ。

KEYWORD

『我《われ》と汝《なんじ》』（➡P27）「人間《にんげん》は関係存在《かんけいそんざい》である」（➡P33）

第《だい》1章《しょう》

自分《じぶん》についての言葉《ことば》

Q 勉強《べんきょう》ができない

A

できないこと
知《し》らないことを
知《し》っている
からこそ
先《さき》に進《すす》めるんだ

哲学的《てつがくてき》KEYWORD《キーワード》

ソクラテス（BC470ごろ～BC399）

「無知《むち》の知《ち》」

ソクラテスの有名《ゆうめい》な言葉《ことば》に「無知《むち》の知《ち》」がある。ある日《ひ》ソクラテスは知《し》り合《あ》いの賢者《けんじゃ》たちに善《ぜん》と正義《せいぎ》の意味《いみ》を聞《き》いて回《まわ》った。賢者《けんじゃ》たちはみんな、善《ぜん》と正義《せいぎ》の意味《いみ》なら「もちろん知《し》っているさ…」と言《い》ったが、ソクラテスと深《ふか》い問答《もんどう》を繰《く》り返《かえ》すうちに、誰《だれ》もその意味《いみ》を答《こた》えられなくなってしまった。その時《とき》にソクラテスは気《き》がついたんだ。みんなは自分《じぶん》が知《し》っていると思《おも》い込《こ》んでいるだけで、実《じつ》は何《なに》も知《し》らない人《ひと》が多《おお》い！

本当《ほんとう》は知《し》らないのに、自分《じぶん》が知《し》っていると思《おも》い込《こ》んでいる人《ひと》たちは、その先《さき》に進《すす》むことができない。それよりも「自分《じぶん》は何《なに》も知《し》らない」ということを知《し》っている人《ひと》の方《ほう》が本当《ほんとう》は賢《かしこ》いのではないか？　という考《かんが》えにたどり着《つ》いたんだ。

自分《じぶん》は勉強《べんきょう》ができない！　ということを知《し》っているということは、その先《さき》に進《すす》めるということだよ。「できない」と知《し》っているからこそ努《ど》力《りょく》ができる。これはすごいことなんだよ。

Q

他人《たにん》と自分《じぶん》を比《くら》べて劣等感《れっとうかん》を持《も》ってしまう

A

劣等感《れっとうかん》を上手《うま》く使《つか》えば向上心《こうじょうしん》につながるよ

哲学的《てつがくてき》KEYWORD《キーワード》

アルフレッド・アドラー（1870〜1937）

「劣等感《れっとうかん》を友達《ともだち》にしろ」

精神科医《せいしんかい》で心理学者《しんりがくしゃ》のアルフレッド・アドラーは「劣等感《れっとうかん》を友達《ともだち》にしろ」と言《い》ったんだ。劣等感《れっとうかん》は、だれもが持《も》っている感情《かんじょう》のひとつ。でも、この劣等感《れっとうかん》を上手《うま》く使《つか》えば、向上心《こうじょうしん》を持《も》つきっかけになるんだよ。

一方《いっぽう》で悪《わる》い劣等感《れっとうかん》もあって、それは〝他人《たにん》〟との比較《ひかく》で生《う》まれたものだ。「自分《じぶん》はあの人《ひと》よりもサッカーが下手《へた》」などと比《くら》べるのはよくないよ。たとえ頑張《がんば》って練習《れんしゅう》をしてその人《ひと》を超《こ》えることができても、また違《ちが》う人《ひと》と比《くら》べてしまうんだ。大切《たいせつ》なのは他人《たにん》と自分《じぶん》を比《くら》べてしまうクセをやめること。悪《わる》い劣等感《れっとうかん》を持《も》っていると、考《かんが》え方《かた》が卑屈《ひくつ》になってしまうよ。

よい劣等感《れっとうかん》とは、〝理想《りそう》の自分《じぶん》〟との比較《ひかく》で生《う》まれるものだ。大切《たいせつ》なのは〝目標《もくひょう》〟を持《も》つことだね。その目標《もくひょう》にどれだけ近《ちか》づいているか、冷静《れいせい》に今《いま》の自分《じぶん》を見《み》ることができれば完璧《かんぺき》だ。たとえ苦手《にがて》なことでも、かならず上達《じょうたつ》するよ。

Q 自分《じぶん》の言葉《ことば》で上手《うま》く話《はな》せない

A

自分《じぶん》のことを
よく知《し》ると
自分《じぶん》の言葉《ことば》で
話《はな》せるように
なるよ

哲学的《てつがくてき》KEYWORD《キーワード》

タレス（BC624ごろ～BC546ごろ）

「最《もっと》も困難《こんなん》なことは自分自身《じぶんじしん》を知《し》ることであり、最《もっと》も容易《ようい》なことは他人《たにん》に忠告《ちゅうこく》することである」

自分《じぶん》の意見《いけん》をスラスラと言《い》っている人《ひと》がいたら、かしこくてかっこよく見《み》えるよね。でも、話《はな》している内容《ないよう》をしっかりと聞《き》いてみよう。ギリシア七賢人《しちけんじん》のひとりであるタレスは「最《もっと》も困難《こんなん》なことは自分自身《じぶんじしん》を知《し》ることであり、最《もっと》も容易《ようい》なことは他人《たにん》に忠告《ちゅうこく》することである」と言《い》っているんだ。

他人《たにん》を批判《ひはん》したり、他人《たにん》に忠告《ちゅうこく》するのは簡単《かんたん》なことで、だれにでもできるよね。でも、そうした言葉《ことば》は、人《ひと》に対《たい》して意見《いけん》を押《お》しつけているだけで、本当《ほんとう》の意味《いみ》での自分《じぶん》の言葉《ことば》ではないよね。自分《じぶん》の言葉《ことば》で話《はな》すために大切《たいせつ》なのは、自分自身《じぶんじしん》のことを知《し》っていることだよ。だから、「自分《じぶん》の言葉《ことば》で話《はな》せない！」と悩《なや》んでいる人《ひと》は、自分《じぶん》の長所《ちょうしょ》はなんだろうか？　自分《じぶん》の短所《たんしょ》はなんだろうか？　と自分《じぶん》のことについて、よく考《かんが》えてみることからはじめるといい。そうすると自然《しぜん》と自分《じぶん》の言葉《ことば》で話《はな》せるようになるよ。

Q

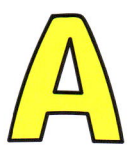

綺《き》麗《れい》になりたい

A

〝品《ひん》〟を忘《わす》れないようにしよう

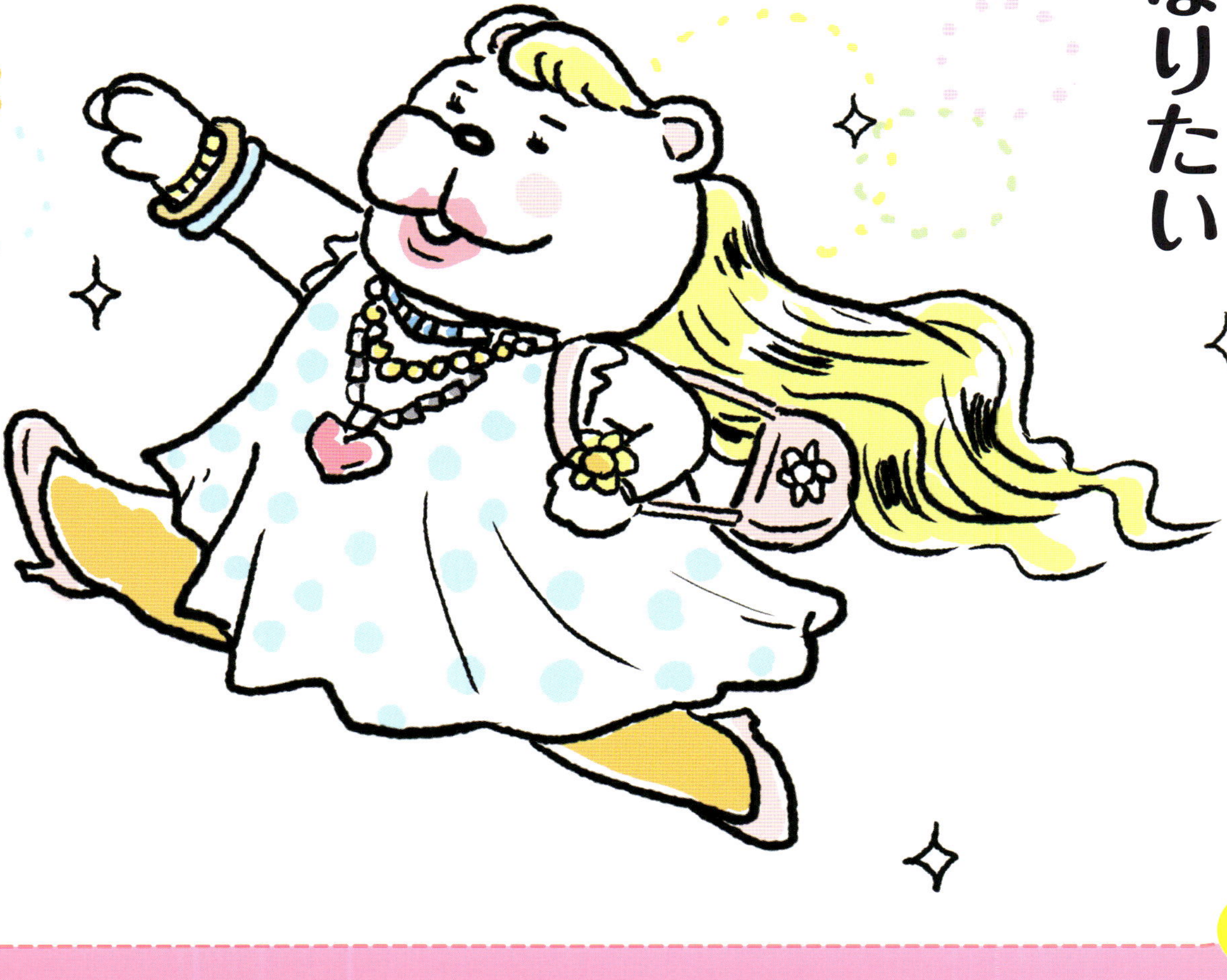

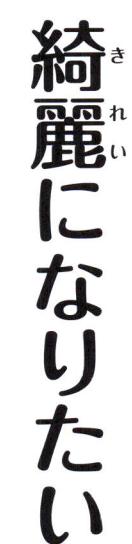

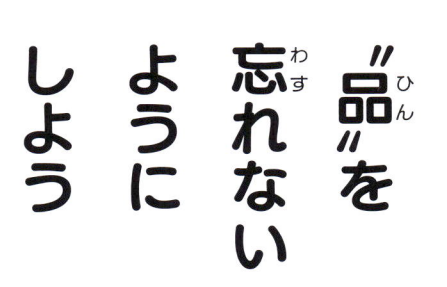

哲学的《てつがくてき》KEYWORD《キーワード》

ペリクレス（BC495ごろ〜BC429）

「我《われ》らは美《び》を愛《あい》すれど簡素《かんそ》さを失《うしな》わず、知《ち》を愛《あい》すれど柔弱《にゅうじゃく》に陥《おちい》らない」

古代《こだい》アテナイの政治家《せいじか》で哲学者《てつがくしゃ》でもあるペリクレスは「我《われ》らは美《び》を愛《あい》すれど簡素《かんそ》さを失《うしな》わず、知《ち》を愛《あい》すれど柔弱《にゅうじゃく》に陥《おちい》らない」という演説《えんぜつ》をしたことがあるんだよ。この演説《えんぜつ》の意味《いみ》は、美《うつく》しいけれどもゴテゴテになりすぎない、知識《ちしき》をつけても弱々《よわよわ》しくならない、ということなんだよ。

綺麗《きれい》になりたい！　オシャレをしたい！　と思《おも》うのは自然《しぜん》なことだけど、そのことばかりに気《き》を取《と》られてしまうと、人間《にんげん》としての本来《ほんらい》の美《うつく》しさのバランスが崩《くず》れてしまうことがあるから注意《ちゅうい》しようね。

何事《なにごと》も、やりすぎは〝品《ひん》〟をなくしてしまうからね…。ペリクレスは演説《えんぜつ》の中《なか》で本当《ほんとう》の美《うつく》しさには〝品《ひん》〟が大切《たいせつ》だということを教《おし》えてくれたんだよね。

〝品《ひん》〟を忘《わす》れないためには、見《み》た目《め》だけの美《うつく》しさにとらわれることなく、人間《にんげん》としての内面《ないめん》の美《うつく》しさにも磨《みが》きをかけることが大切《たいせつ》だよ。

Q 自分《じぶん》のいいところがわからない

A だれでも自分《じぶん》のことはわからないものなんだ

長い首ってかっこいいよね〜
そう？普通だと思ってた…

哲学的《てつがくてき》KEYWORD《キーワード》

エマニュエル・レヴィナス（1906〜1995）

「自分《じぶん》の顔《かお》を見《み》ることはできない」

人《ひと》のいいところは、自分《じぶん》が当《あ》たり前《まえ》だと思《おも》っているところにあるものだから、自分《じぶん》ではわからないんだよ。もし、人《ひと》から褒《ほ》められようと思《おも》ってやっているなら、それは〝いいところ〟とは言《い》えないよね。

フランスの哲学者《てつがくしゃ》、エマニュエル・レヴィナスが「自分《じぶん》の顔《かお》を見《み》ることはできない」と言《い》っているように、自分《じぶん》のいいところはわからないものなんだ。「自分《じぶん》は嫌《きら》われていないか」「人《ひと》からどう思《おも》われているか」と不安《ふあん》な時《とき》もあるだろう。でも〝無意識《むいしき》の中《なか》〟に君《きみ》のいいところはかならずあるから、心配《しんぱい》することはないよ。

また、レヴィナスは「自分《じぶん》の顔《かお》は他人《たにん》が一番《いちばん》よく知《し》っていて、他人《たにん》の顔《かお》は自分《じぶん》が一番《いちばん》よく知《し》っている」とも言《い》っているんだ。自分《じぶん》がどう思《おも》われているかを不安《ふあん》に思《おも》うよりも、友達《ともだち》のいいところを探《さが》してみよう。今《いま》よりも友達関係《ともだちかんけい》がよくなるはずだよ。

Q
〝自《じ》分《ぶん》らしさ〟って何《なに》？

A
はっきりした〝自《じ》分《ぶん》らしさ〟はわからないものなんだ

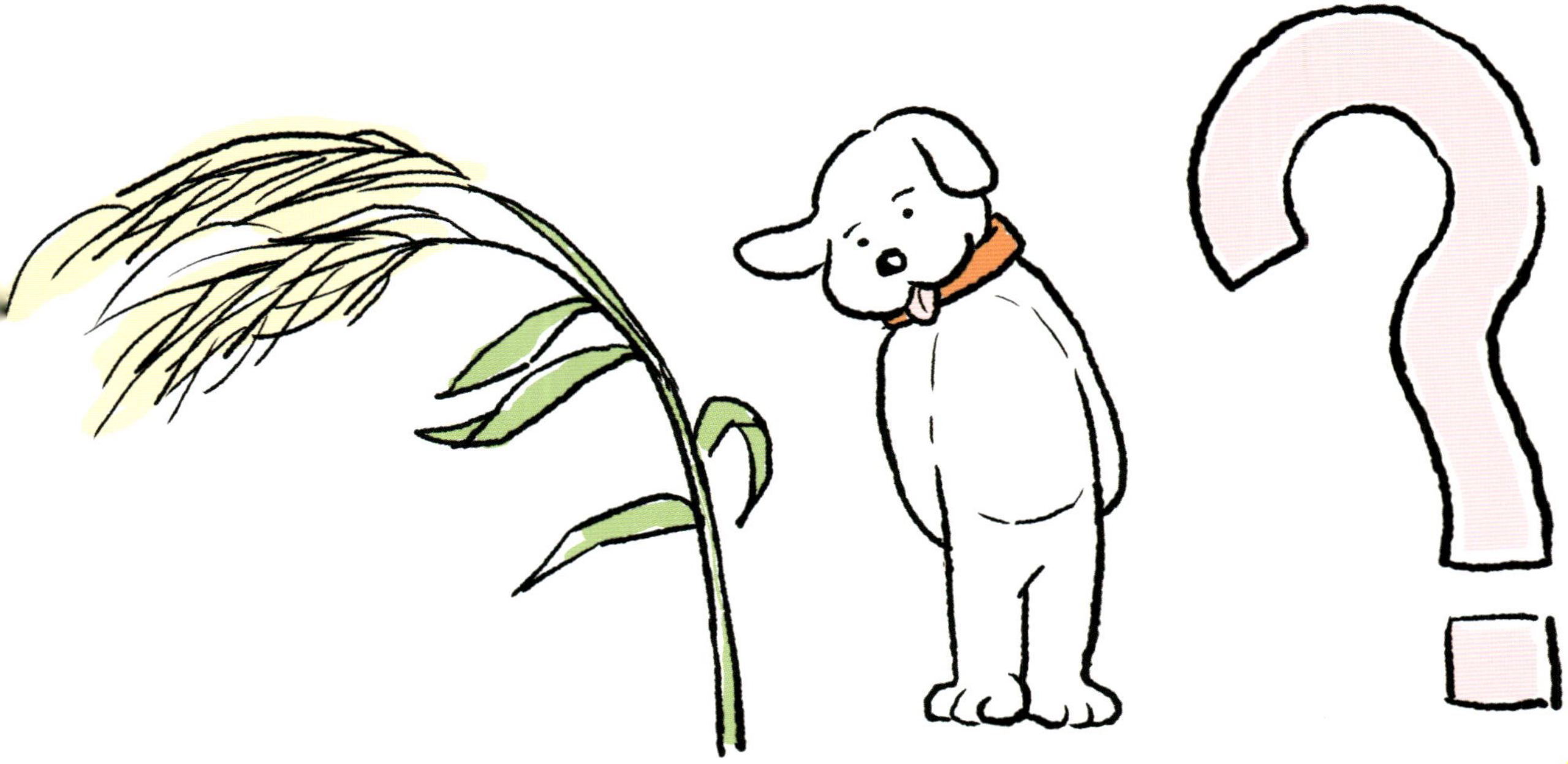

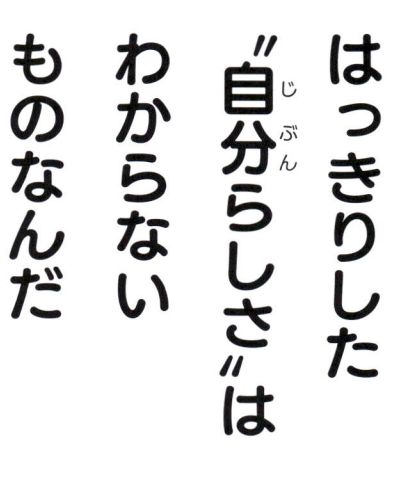

哲学的《てつがくてき》KEYWORD《キーワード》

ブレーズ・パスカル（1623〜1662）

「人《ひと》は考《かんが》える葦《あし》である」

フランスの哲学者《てつがくしゃ》、ブレーズ・パスカルは「人《ひと》は考《かんが》える葦《あし》である」と言《い》い残《のこ》しているよ。

葦《あし》とはススキに似《に》ている、川辺《かわべ》や湖《みずうみ》の岸《きし》などに生《は》えるイネ科《か》の植物《しょくぶつ》だ。風《かぜ》が吹《ふ》くと頼《たよ》りなくゆらゆらと揺《ゆ》れる様子《ようす》を見《み》て、人《ひと》は葦《あし》と同《おな》じように頼《たよ》りない存在《そんざい》だと表現《ひょうげん》したんだ。

科学《かがく》やコンピューターが発達《はったつ》して、人間《にんげん》は万能《ばんのう》な存在《そんざい》であるかのように錯覚《さっかく》してしまうけれど、一番《いちばん》身近《みぢか》な自分《じぶん》らしさを考《かんが》えても、答《こた》えはなかなか見《み》つからないよね。人《ひと》の多《おお》くは感情《かんじょう》によって言動《げんどう》が変化《へんか》するもの。優《やさ》しい気持《きも》ちの時《とき》もあれば、抑《おさ》えきれない怒《いか》りがわき上《あ》がる時《とき》もある。そして、集団《しゅうだん》や相手《あいて》によっても変《か》わる。家族《かぞく》、友達《ともだち》、好《す》きな子《こ》、先生《せんせい》に見《み》せている君《きみ》の顔《かお》は、それぞれ少《すこ》しずつでも違《ちが》うよね。それは相手《あいて》によって持《も》つ感情《かんじょう》が違《ちが》うからなんだ。

人《ひと》は感情《かんじょう》によって揺《ゆ》れ動《うご》く存在《そんざい》で、言《い》うなれば君《きみ》の感《かん》じたすべてが〝自分《じぶん》らしさ〟だよ。

人間《にんげん》の祖先《そせん》「ホモ・サピエンス」が生《い》き残《のこ》れたわけ

人間《にんげん》の祖先《そせん》は「ホモ・サピエンス」といって、今《いま》の哺乳類《ほにゅうるい》サル目《もく》ヒト科《か》で生《い》き残《のこ》った唯一《ゆいいつ》の種《しゅ》だ。ホモ・サピエンスが生《う》まれたのは20万年前《まんねんまえ》で、また30万年前《まんねんまえ》にはネアンデルタール人《じん》が生《う》まれた。ネアンデルタール人《じん》の方《ほう》が脳《のう》が大《おお》きく、身体《からだ》も丈夫《じょうぶ》だったと言《い》われているけど、生《い》き残《のこ》ったのはホモ・サピエンスだったんだ。狩《か》りをして生《い》きていた時代《じだい》だから、脳《のう》が大《おお》きくて身体《からだ》が丈夫《じょうぶ》な種《しゅ》の方《ほう》が生《い》き残《のこ》りそうだよね。

このホモ・サピエンスは、ほぼ完全《かんぜん》な状態《じょうたい》の全体《ぜんたい》の骨《ほね》が残《のこ》っていて、埋葬《まいそう》の習慣《しゅうかん》があったと言《い》われている。さらに歯《は》のない老人《ろうじん》の骨《ほね》が多《おお》く残《のこ》っていたことから、食事《しょくじ》を分《わ》け与《あた》える優《やさ》しさなどを持《も》っていたのではないかと考《かんが》えられているよ。もしかすると、ホモ・サピエンスは思《おも》いやりや幸《しあわ》せ、喜《よろこ》びを感《かん》じることができていたのかもしれないね。つまり「イデア」（→P55）を持《も》っていたとも考《かんが》えられる。

また、ホモ・サピエンスはネアンデルタール人《じん》よりも複雑《ふくざつ》な「言葉《ことば》」を使《つか》っていたといわれているよ。

第《だい》2章《しょう》

友達《ともだち》についての言葉《ことば》

Q

友達《ともだち》が少《すく》ない

A

友達《ともだち》は
多《おお》くいるから
いいという
わけでは
ないんだよ

哲学的《てつがくてき》KEYWORD《キーワード》

マルティン・ブーバー（1878〜1965）

『我《われ》と汝《なんじ》』

マルティン・ブーバーは『我《われ》と汝《なんじ》』という本《ほん》で、自分《じぶん》と他人《たにん》の関係《かんけい》について説明《せつめい》してくれているよ。その本《ほん》の中《なか》で「会《あ》う」という言葉《ことば》が出《で》てくるけど、その言葉《ことば》の中《なか》に、友達《ともだち》との関係《かんけい》を教《おし》えてくれるヒントが隠《かく》されているんだよ。「会《あ》う」という言葉《ことば》は正確《せいかく》に言《い》うと「会《あ》う（meet）」と「出会《であ》う（encounter）」があって、このふたつの言葉《ことば》の意味《いみ》はまるで違《ちが》うんだ。

マルティン・ブーバーは「出会《であ》う」という言《こと》葉《ば》を「私《わたし》とあなた（I and You）」と表現《ひょうげん》している。一方《いっぽう》、「会《あ》う」という言葉《ことば》は「私《わたし》とその他《ほか》（I and it）」と表現《ひょうげん》している。少《すこ》し難《むずか》しい話《はなし》だけど、「私《わたし》とあなた」の関係性《かんけいせい》こそが友達《ともだち》で、「私《わたし》とその他《ほか》」は単《たん》なるクラスメイトや知《し》り合《あ》いのことなんだ。つまり、友達《ともだち》の価値《かち》は人数《にんずう》では決《き》まらない…ということだよね。だから友達《ともだち》の数《かず》で悩《なや》まずに「私《わたし》とあなた」になれる深《ふか》い友達《ともだち》を大切《たいせつ》にしようね。

Q

友達《ともだち》が他《ほか》の子《こ》と仲《なか》よくして
いるとムカムカしてしまう

A

嫉妬《しっと》は独占欲《どくせんよく》
人《ひと》のことを
考《かんが》えられる
人間《にんげん》になろう

哲学的《てつがくてき》KEYWORD《キーワード》

ラインホルド・ニーバー（1892〜1971）

『光《ひかり》の子《こ》と闇《やみ》の子《こ》』

ムカムカの正体《しょうたい》は「嫉妬《しっと》」だよね。嫉妬《しっと》は言《こと》葉《ば》を換《か》えれば「独占欲《どくせんよく》」。つまり、自分《じぶん》が得《とく》をすることばかりを考《かんが》えてしまうこと。自分《じぶん》が得《とく》をすることしか考《かんが》えていないのに、なぜかムカムカして不愉快《ふゆかい》になってしまう。それが「嫉《しっ》妬《と》」なんだよね。

神学者《しんがくしゃ》のラインホルド・ニーバーは『光《ひかり》の子《こ》と闇《やみ》の子《こ》』という本《ほん》の中《なか》で、人間《にんげん》を「光《ひかり》の子《こ》」と「闇《やみ》の子《こ》」に分《わ》けたんだ。「光《ひかり》の子《こ》」は自分《じぶん》のことよりも他人《たにん》のことを考《かんが》えて行動《こうどう》ができる人《ひと》。「闇《やみ》の子《こ》」は自分《じぶん》の利益《りえき》ばかりを考《かんが》えて行《こう》動《どう》する人《ひと》。嫉妬深《しっとぶか》くなってしまうのは「闇《やみ》の子《こ》」の考《かんが》え方《かた》なんだ。そして自分《じぶん》の利益《りえき》ばかりを考《かんが》えてしまう人《ひと》は、結果的《けっかてき》にイライラすることが多《おお》くなってしまうんだよ。嫉妬《しっと》してムカムカしないためには「光《ひかり》の子《こ》」になって、他《ほか》の人《ひと》の利益《りえき》と気持《きも》ちを尊重《そんちょう》することが大切《たいせつ》だよ。そうすると自然《しぜん》とムカムカしなくなるよ。

Q

グループの中《なか》で
仲間外《なかまはず》れに
する子《こ》がいる

A

本能《ほんのう》に負《ま》けない
理性《りせい》を持《も》った
人《ひと》になろう

哲学的《てつがくてき》KEYWORD《キーワード》

アリストテレス（BC384～BC322）

「人間《にんげん》はポリティカルなアニマルである」

アリストテレスは「人間《にんげん》はポリティカルなアニマルである」と言《い》ったんだ。ポリティカルとは「社会的《しゃかいてき》」という意味《いみ》だよ。簡単《かんたん》に言《い》うと「ルール」や「集団《しゅうだん》」のことだよね。もちろん学校《がっこう》もポリティカルだよね。つまり人間《にんげん》はひとりでは生《い》きていけない「社会的《しゃかいてき》な動物《どうぶつ》」なんだ。社会的《しゃかいてき》な動物《どうぶつ》だからこそ「社会《しゃかい》」や「集団《しゅうだん》」のルールから外《はず》れた人《ひと》を仲間外《なかまはず》れにする本能《ほんのう》があるのもしれないよね。

学校《がっこう》の仲《なか》よしグループの中《なか》で、他《ほか》の人《ひと》たちと違《ちが》った行動《こうどう》をすると仲間外《なかまはず》れにされてしまうのも、「社会的《しゃかいてき》な動物《どうぶつ》」である人間《にんげん》の本能《ほんのう》かもしれない。でも、本能《ほんのう》だから仕方《しかた》がない…と諦《あきら》めてしまうのは絶対《ぜったい》に違《ちが》うよね。人間《にんげん》には本能《ほんのう》を抑《おさ》えることができる「理性《りせい》」がある。友達《ともだち》が誰《だれ》かを仲間外《なかまはず》れにしようとしたら「理性《りせい》」で止《と》めないといけない。「本能《ほんのう》」に負《ま》けない「理性《りせい》」を持《も》った人間《にんげん》になりたいよね。

Q

ケンカをした
友達《ともだち》に
「ごめんなさい」が
言《い》えない

A

相手《あいて》との関係《かんけい》を
考《かんが》えてみよう

哲学的《てつがくてき》KEYWORD《キーワード》

マルティン・ブーバー（1878〜1965）

「人間《にんげん》は関係存在《かんけいそんざい》である」

「ごめんなさい」を英語《えいご》で言《い》うと、I'm sorryだね。「sorry」には「気《き》の毒《どく》だ」という意味《いみ》もあるから、I'm sorryには「私《わたし》はあなたを気《き》の毒《どく》に思《おも》う」という意味《いみ》がある。自分《じぶん》が謝《あやま》る立《たち》場《ば》なのに、相手《あいて》を「気《き》の毒《どく》に思《おも》う」とは、少《すこ》し違和感《いわかん》があるかもしれないね。

しかしここで大切《たいせつ》なのは、気《き》の毒《どく》に思《おも》う気持《きも》ちは、相手《あいて》への〝共感《きょうかん》〟であること。人間《にんげん》の魅《み》力《りょく》は、〝共感《きょうかん》する力《ちから》〟〝相手《あいて》を思《おも》う力《ちから》〟があるかどうかで決《き》まるものだよ。哲学者《てつがくしゃ》のマルティン・ブーバーは「人間《にんげん》は関係存在《かんけいそんざい》である」と言《い》っているよ。人《ひと》は常《つね》に〝自分《じぶん》〟と〝あなた〟の関係《かんけい》で存在《そんざい》していると考《かんが》えたんだ。

もし「ごめんなさい」が言《い》えない時《とき》は、相手《あいて》との関係《かんけい》を思《おも》い浮《う》かべてみよう。相手《あいて》を大切《たいせつ》に思《おも》う気持《きも》ちはかならずあるはず。大切《たいせつ》な家族《かぞく》や兄弟《きょうだい》、友達《ともだち》…、相手《あいて》との関係《かんけい》を修復《しゅうふく》するための言葉《ことば》が「ごめんなさい」だよ。

Q

人《ひと》を好《す》きになるってどういうこと？

A

人《ひと》には〝片割《かたわ》れを探《さが》すエネルギー〟があるんだ

哲学的《てつがくてき》KEYWORD《キーワード》

プラトン（BC427～BC347）

「人間《にんげん》は“ふたりでひとり”だった」

「好《す》き」という感情《かんじょう》を説明《せつめい》するのは難《むずか》しいね。プラトンは『饗宴《きょうえん》』という話《はなし》の中《なか》で、人《ひと》を好《す》きになる気持《きも》ちの起源《きげん》についての神話《しんわ》を書《か》いているよ。人間《にんげん》はもともとアンドロギュノスという種族《しゅぞく》で、ふたりの人間《にんげん》が背中合《せなかあ》わせに一体《いったい》となっている形《かたち》をしていた。この形《かたち》をした人間《にんげん》は力《ちから》が強《つよ》く、あまりにも傲慢《ごうまん》だったために、神《かみ》は困《こま》っていた。神《かみ》はその力《ちから》を弱《よわ》めるために、すべての人間《にんげん》を真《ま》っぷたつに分《わ》けたんだ。

二体《にたい》に分《わ》かれてしまった人間《にんげん》は、お互《たが》いに切《き》り離《はな》された〝片方《かたほう》〟を探《さが》している…と言《い》われているんだ。人間《にんげん》は〝ふたりでひとり〟なんだね。

そして、ギリシア語《ご》には「愛《あい》」を意味《いみ》する言葉《ことば》が「エロス」「フィリア」「アガペー」の3種類《しゅるい》あるんだよ。エロスは恋愛《れんあい》。フィリアは友愛《ゆうあい》という意味《いみ》で、相手《あいて》の幸《しあわ》せを願《ねが》う気持《きも》ち。アガペーは損得勘定《そんとくかんじょう》がない無償《むしょう》の愛情《あいじょう》のことだよ。人《ひと》を好《す》きになる気持《きも》ちも奥《おく》が深《ふか》いね。

岩村先生《いわむらせんせい》の哲学講座《てつがくこうざ》　その2

物事《ものごと》の原因《げんいん》となっているのは、すべて「目《め》に見《み》えない」こと

池《いけ》の水面《みなも》がゆらゆらと揺《ゆ》れていると、風《かぜ》が吹《ふ》いていることがわかるよね。このように、この世《よ》の物事《ものごと》の原因《げんいん》は、「目《め》に見《み》えない」んだ。しかし、これはだれでも理解《りかい》できることではないよ。風《かぜ》が吹《ふ》いたら水面《みなも》が揺《ゆ》れるのは当《あ》たり前《まえ》だよね。でも、この当《あ》たり前《まえ》のことを考《かんが》え、揺《ゆ》れた水面《みなも》を見《み》て風《かぜ》を知《し》ることが哲学《てつがく》なんだ。

「世界《せかい》は目《め》に見《み》えないもので動《うご》かされている」とも表現《ひょうげん》できるね。だから君《きみ》にはいろいろなことを考《かんが》えて、目《め》に見《み》えないことをたくさん想像《そうぞう》してほしいんだ。

君《きみ》はやがて自分《じぶん》なりの生《い》き方《かた》を見《み》つけることになるよ。自分《じぶん》にしかできないことを見《み》つけてほしい。そしてゆくゆくは、だれにでもできることをただやるだけの大人《おとな》になるのではなく、自分《じぶん》にしかできない道《みち》を生《い》きよう。

「たくさん踏《ふ》まれたブドウは美味《おい》しいワインになる」と言《い》われるように、いろいろなものを見聞《みき》きして考《かんが》えると、人間味《にんげんみ》のある魅力的《みりょくてき》な人《ひと》になれるよ。「目《め》に見《み》えないこと」を考《かんが》えていた子《こ》どもは、大《おお》きな大人《おとな》になるんだ。

第《だい》3章《しょう》

悪《あく》についての言葉《ことば》

Q どうしてルールを守《まも》らなくちゃいけないの？

A ルールは自分以外《じぶんいがい》の人《ひと》と一緒《いっしょ》にいるために必要《ひつよう》なんだ

哲学的《てつがくてき》KEYWORD《キーワード》

トマス・ホッブズ（1588〜1679）

「自然状態《しぜんじょうたい》では“万人《ばんにん》の万人《ばんにん》に対《たい》する闘争《とうそう》”が起《お》きる」

ルールは自分以外《じぶんいがい》の人《ひと》と一緒《いっしょ》にいるために必要《ひつよう》なものなんだ。世界《せかい》に人《ひと》が君《きみ》ひとりしかいない場合《ばあい》は、ルールはいらないね。

政治哲学者《せいじてつがくしゃ》として有名《ゆうめい》なトマス・ホッブズは「自然状態《しぜんじょうたい》では〝万人《ばんにん》の万人《ばんにん》に対《たい》する闘争《とうそう》〟が起《お》きる」と言《い》ったよ。自然状態《しぜんじょうたい》とはルールのない無法地帯《むほうちたい》のことで、富《とみ》や権力《けんりょく》を求《もと》めて戦《たたか》い合《あ》い、人《ひと》は人《ひと》に対《たい》して〝オオカミ〟になると主張《しゅちょう》した。争《あらそ》いをしないためにも絶対的《ぜったいてき》な権力統治《けんりょくとうち》が必要《ひつよう》となって、ルールができたんだ。

ただ、ルールはかならず従《したが》わなければならないというものでもないよ。ルールは他人《たにん》と一緒《いっしょ》に生《い》きるための、〝仮《かり》のもの〟でもある。集《あつ》まった人《ひと》や状況《じょうきょう》によってはそのルールは通用《つうよう》しなくなる場合《ばあい》もあるよね。そんな時《とき》は「ルールだから守《まも》らなきゃダメ！」と押《お》しつけるのではなく、「人《ひと》と共存《きょうぞん》するためにはこのルールは必要《ひつよう》かな？」と考《かんが》えることも大切《たいせつ》だよ。

Q
だれも見《み》ていなければ悪《わる》いことをしてもいいの？

A
自分《じぶん》は自分《じぶん》のことを見《み》ているよ悪《わる》いことをすると心《こころ》が傷《きず》つくよ

哲学的《てつがくてき》KEYWORD《キーワード》

ソクラテス（BC470ごろ～BC399）

「ただ生《い》きるのではなく、善《よ》く生《い》きる」

人間《にんげん》の幸《しあわ》せには〝徳《とく》〟がとても大切《たいせつ》なんだ。〝徳《とく》〟とは「道徳《どうとく》」の〝徳《とく》〟なんだけど、わかりにくいよね。すごく簡単《かんたん》に言うと〝徳《とく》〟とはいい行《おこな》い。いい行《おこな》いをするには、何《なに》が善《ぜん》で何《なに》が悪《あく》なのかを学《まな》ばなければならない。そのためには正《ただ》しい知恵《ちえ》や知識《ちしき》を身《み》につける必要《ひつよう》がある。つまり正《ただ》しい〝徳《とく》〟は、正《ただ》しい知恵《ちえ》があってこそ生《い》きてくるものなんだ。知恵《ちえ》と徳《とく》は同《おな》じもの。ソクラテスはこの考《かんが》えに「知徳合一《ちとくごういつ》」と名《な》づけて、自分《じぶん》の弟子《でし》たちに教《おし》えていたんだよ。

そしてソクラテスは「ただ生《い》きるのではなく、善《よ》く生《い》きる」とも言《い》っているんだよ。もし「だれも見《み》ていなければ悪《わる》いことをしてもいい…」と考《かんが》えている人《ひと》がいたら、とても悲《かな》しいことだよね。それは善《よ》く生《い》きていないだけではなく、気《き》がつかない間《あいだ》に自分自身《じぶんじしん》の心《こころ》を傷《きず》つけているよ。だれも見《み》ていなくても、自分《じぶん》は自分《じぶん》のことをしっかりと見《み》ているものだよ。

Q どうしていじめはなくならないの？

A いじめをする人《ひと》は心《こころ》の弱《よわ》い人間《にんげん》なんだよ

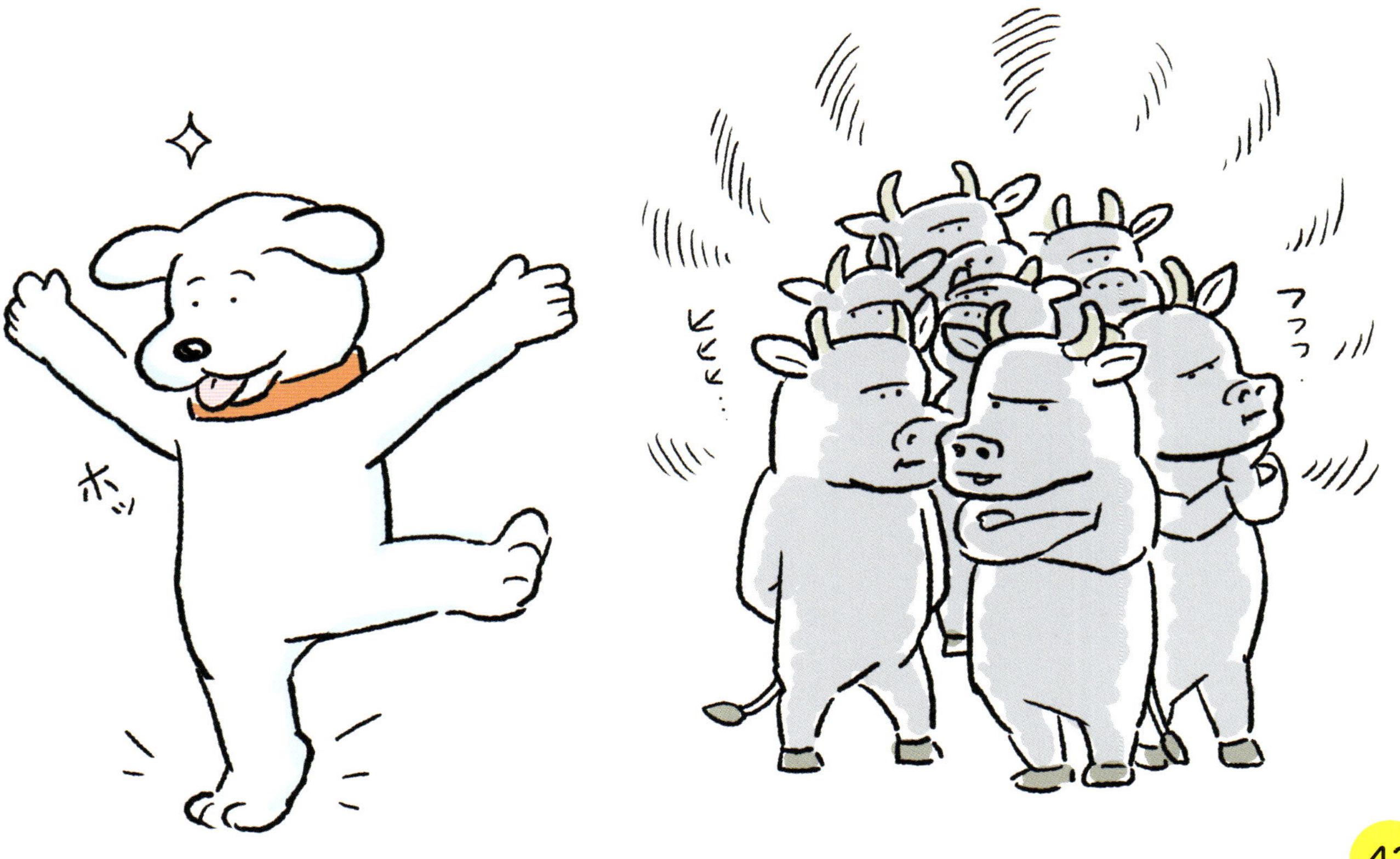

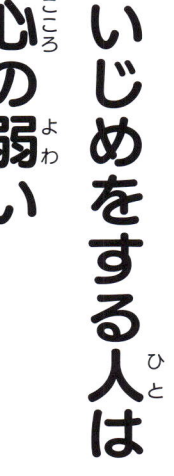

哲学的《てつがくてき》KEYWORD《キーワード》

エーリヒ・フロム（1900〜1980）

「他人《たにん》に依存《いぞん》している弱《よわ》い人間《にんげん》の心《こころ》」

いじめは、いじめられている人《ひと》よりも、いじめている人《ひと》の方《ほう》が、その後《ご》の人生《じんせい》で辛《つら》い思《おも》いをする人《ひと》が多《おお》いんだ。その理由《りゆう》は、いじめている人《ひと》は、いじめられている人《ひと》…つまり支配《しはい》している人《ひと》を失《うし》うことによって、自分自身《じぶんじしん》の社会《しゃかい》での居場所《いばしょ》も失《うしな》ってしまうんだ。その結果《けっか》、心《こころ》も不安定《ふあんてい》になってしまうんだね。

いじめは心《こころ》が弱《よわ》い人間《にんげん》がすることだよ。社会《しゃかい》倫理学者《りんりがくしゃ》のエーリヒ・フロムはいじめの正体《しょうたい》は「他人《たにん》に依存《いぞん》する弱《よわ》い人間《にんげん》の心《こころ》にある」と考《かんが》えていたんだよ。弱《よわ》い心《こころ》があるとリーダーシップのある人《ひと》について行《い》きたいと思《おも》うんだよね。リーダーについて行《い》きたいと思《おも》う人《ひと》が増《ふ》えると集《しゅう》団《だん》ができる。集団《しゅうだん》ができると、最初《さいしょ》はリーダーについて行《い》きたい…と思《おも》っていただけの人《ひと》たちが、自分《じぶん》よりも弱《よわ》い人間《にんげん》の攻撃《こうげき》をはじめるんだ。これがいじめの正体《しょうたい》だよ。いじめなんかする暗《くら》い人生《じんせい》は情《なさ》けないよね。

Q

悪《わる》いことを
している人《ひと》には
注意《ちゅうい》した方《ほう》が
いい？

A

それは悪《わる》いことだと
気《き》づかせてあげる
ことの方《ほう》が大切《たいせつ》だよ

哲学的《てつがくてき》KEYWORD《キーワード》

渡辺淳一《わたなべじゅんいち》（1933～2014）

『鈍感力《どんかんりょく》』

もし悪《わる》いことをしている人《ひと》を見《み》つけたら、注《ちゅう》意《い》をした方《ほう》がいいね。でも、もっと大切《たいせつ》なことがあるんだ。それは、悪《わる》いことだと気《き》づかせてあげることだよ。悪《わる》いことをしていると気《き》づいていない人《ひと》には、悪《わる》いことだと教《おし》えることが必要《ひつよう》なんだ。

たとえば君《きみ》が公園《こうえん》で入《はい》ってはいけないエリアに、知《し》らずに入《はい》ってしまったとする。それを頭《あたま》ごなしに怒《おこ》られても、なんで怒《おこ》られているのかわからないよね。

また、注意《ちゅうい》する人《ひと》には、「嫌《きら》われる覚悟《かくご》」も必要《ひつよう》なんだ。逆《ぎゃく》ギレや逆恨《さかうら》みをされる可能性《かのうせい》もあるからね。小説家《しょうせつか》で整形外科医《せいけいげかい》でもあった渡《わた》辺淳一《なべじゅんいち》は『鈍感力《どんかんりょく》』という本《ほん》で、人《ひと》には鈍感《どんかん》になる力《ちから》が必要《ひつよう》だと言《い》ったよ。たとえ嫌《きら》われても鈍感力《どんかんりょく》で「悪《わる》いことは悪《わる》い」としっかりと指摘《してき》してあげることが、結果的《けっかてき》に相手《あいて》のためにもなるからね。

岩村先生《いわむらせんせい》の哲学講座《てつがくこうざ》 その3

「ふたつの時間《じかん》」を生《い》きる

君《きみ》は友達《ともだち》と夢中《むちゅう》になって遊《あそ》んでいて、「時間《じかん》があっと言《い》う間《ま》に経《た》ってしまった！」という経験《けいけん》はあるかな？　逆《ぎゃく》に、苦手《にがて》な教科《きょうか》の授業《じゅぎょう》で、「まだこれしか時間《じかん》が経《た》っていないのか…」と思《おも》ったことはあるかな？　どちらも“時間《じかん》”についての話《はなし》だけど、君《きみ》は「ふたつの時間《じかん》」を生《い》きているんだ。

ひとつは「クロノス」。これは“時計《とけい》の時間《じかん》”のことで、1秒《びょう》1秒《びょう》はだれにも平等《びょうどう》に刻《きざ》まれているよね。文明《ぶんめい》が発達《はったつ》してから、社会《しゃかい》をまとめるための決《き》めごととして作《つく》られたものだ。

もうひとつは「カイロス」と言《い》って、これは“感《かん》じる時間《じかん》”だ。この時間《じかん》は人《ひと》それぞれ感《かん》じ方《かた》の違《ちが》うもので、好《す》きなことに没頭《ぼっとう》していると時間《じかん》が過《す》ぎるのはあっと言《い》う間《ま》に感《かん》じるし、嫌《きら》いなことをイヤイヤやっていると時間《じかん》は長《なが》く感《かん》じるよね。

時間《じかん》について考《かんが》えたアウグスティヌスは、「充実《じゅうじつ》した時間《じかん》は短《みじか》い時間《じかん》でも長《なが》い思《おも》い出《で》となり、堕落《だらく》した時間《じかん》は長《なが》い時間《じかん》でも思《おも》い出《で》は短《みじか》い」と言《い》っているよ。つまり、濃密《のうみつ》な時間《じかん》は短時間《たんじかん》でも大切《たいせつ》な思《おも》い出《で》になるし、ダラダラした時間《じかん》は思《おも》い出《で》にならないんだ。せっかく生《い》きているなら、充実《じゅうじつ》した時間《じかん》を過《す》ごしたいよね。

第《だい》4章《しょう》

生《い》き方《かた》についての言葉《ことば》

Q

どうして勉強《べんきょう》しなければいけないの？

A

勉強《べんきょう》をすると
これからの
人生《じんせい》の
選択肢《せんたくし》が
広《ひろ》がる
からだよ

哲学的《てつがくてき》KEYWORD《キーワード》

フランシス・ベーコン（1561～1626）

「知《ち》は力《ちから》なり」

イギリスで最《もっと》も有名《ゆうめい》な哲学者《てつがくしゃ》のフランシス・ベーコンは「知《ち》は力《ちから》なり」と言《い》い表《あらわ》しているよ。勉強《べんきょう》した知識《ちしき》は自分《じぶん》の力《ちから》になるんだ。この力《ちから》があればあるほど、人生《じんせい》の選択肢《せんたくし》が増《ふ》えて、大人《おとな》になった時《とき》に役《やく》に立《た》つものなんだ。ゲームも手《て》持《も》ちの武器《ぶき》や技《わざ》が多《おお》い方《ほう》が強《つよ》いよね。現実《げんじつ》も同《おな》じで、知識《ちしき》が増《ふ》えると、人生《じんせい》の選択肢《せんたくし》も増《ふ》え、自分《じぶん》の生《い》き方《かた》を自由《じゆう》に選《えら》べるようになる。

ベーコンは、正《ただ》しい知識《ちしき》を身《み》につけるには、経験《けいけん》することが重要《じゅうよう》だと考《かんが》えていたんだ。勉強《べんきょう》は机《つくえ》の上《うえ》だけでするものではないと考《かんが》えた。外《そと》に出《で》ていろいろなものを見《み》たり聞《き》いたり、経験《けいけん》することもとても大切《たいせつ》な勉強《べんきょう》だよ。これを「経《けい》験論《けんろん》」と言《い》うよ。

いろいろなことを知《し》っている人《ひと》を「おもしろい人《ひと》だな」と感《かん》じるよね。今《いま》の勉強《べんきょう》が役《やく》に立《た》つかわからないかもしれないけど、ぜひたくさんの知識《ちしき》を持《も》つ、未来《みらい》のある人《ひと》になってほしい。

Q

苦手《にがて》なことを諦《あきら》めちゃダメ？

A

まずは続《つづ》けてみないとダメだね

哲学的《てつがくてき》KEYWORD《キーワード》

バールーフ・デ・スピノザ（1632〜1677）

「人間《にんげん》は感情《かんじょう》の生《い》き物《もの》」

　そうだね、苦手《にがて》だと簡単《かんたん》に諦《あきら》めるのはよくないことだね。「諦《あきら》める」という言葉《ことば》は「明《あき》らめる」という古代語《こだいご》からきているんだ。つまり、諦《あきら》めるとは、ダメだということを明《あき》らかにすること。「もう絶対《ぜったい》にダメだ」とわかった時《とき》に諦《あきら》めるものなんだ。

　でも、苦手《にがて》なことがあるということは、その裏《うら》に別《べつ》の得意《とくい》なことがあるということ。簡単《かんたん》に諦《あきら》めてしまうのはもったいないね。

　また、理屈《りくつ》ではない〝本能《ほんのう》〟も人間《にんげん》には大切《たいせつ》だよ。オランダの哲学者《てつがくしゃ》、バールーフ・デ・スピノザは「人間《にんげん》は感情《かんじょう》の生《い》き物《もの》」と言《い》っているよ。自分《じぶん》にどんな役割《やくわり》があるのかを自分《じぶん》で考《かんが》えることが幸《しあわ》せだと主張《しゅちょう》したんだ。

　頭《あたま》で考《かんが》えるだけではなく、楽《たの》しい、嬉《うれ》しい、といった気持《きも》ちも大切《たいせつ》にしよう。そして自分《じぶん》が「これだ！」と感《かん》じたことがあれば、その本能《ほんのう》を信《しん》じて諦《あきら》めずに頑張《がんば》ってほしい。

Q 「本《ほん》をたくさん読《よ》みなさい」って言《い》われたけどなぜ?

A

知《し》らないものを知《し》るには本《ほん》を読《よ》みながら考《かんが》えるといいからだよ

哲学的《てつがくてき》KEYWORD《キーワード》

フランシス・ベーコン（1561〜1626）

「イドラ」

知《し》らないものを調《しら》べるためにインターネットはとても便利《べんり》だよね。インターネットと本《ほん》の違《ちが》いはなんだろう。少《すこ》し難《むずか》しいかもしれないけど、インターネットは〝情報《じょうほう》〟で、本《ほん》は〝知識《ちしき》〟なんだ。情報《じょうほう》は、役《やく》に立《た》たなければ意味《いみ》のないもの。たとえば、君《きみ》は日本《にほん》にいて明日《あした》の天気《てんき》を知《し》りたいのに、アメリカの天気予報《てんきよほう》を見《み》ても役《やく》には立《た》たないよね、これが情報《じょうほう》。一方《いっぽう》、本《ほん》にアメリカの気候《きこう》について書《か》いてあってそれを読《よ》んで知《し》れば、知識《ちしき》となる。「本《ほん》をたくさん読《よ》みなさい」と言《い》うのは、「たくさんの知識《ちしき》をつけなさい」ということなんだよ。

また、知識《ちしき》を得《え》るためにじゃまなものがあるとフランシス・ベーコンは言《い》ったんだ。それは「イドラ」というもので、思《おも》い込《こ》みや偏見《へんけん》のこと。この思《おも》い込《こ》みはせっかくの知識《ちしき》をねじ曲《ま》げてしまうものだから、色眼鏡《いろめがね》で見《み》ていないか、しっかりと考《かんが》えてみよう。

Q 自分《じぶん》の夢《ゆめ》を反対《はんたい》された

A 目的《もくてき》の先《さき》に
ある目標《もくひょう》を
見《み》つけて
少《すこ》しずつ
夢《ゆめ》に近《ちか》づこう

哲学的《てつがくてき》KEYWORD《キーワード》

プラトン（BC427〜347）

「イデア」

人《ひと》から反対《はんたい》されてやめてしまうくらいなら、もともとそれはダメな夢《ゆめ》だよ。その夢《ゆめ》は〝目標《もくひょう》〟か、〝目的《もくてき》〟かということを考《かんが》えてみよう。たとえば「有名大学《ゆうめいだいがく》に入《はい》りたい」という夢《ゆめ》があったとするね。入学《にゅうがく》した先《さき》のことを考《かんが》えていなければ、「入学《にゅうがく》すること」が目的《もくてき》で終《お》わってしまう。君《きみ》にはもっと先《さき》にある目標《もくひょう》を見《み》つけてほしい。その強《つよ》い目標《もくひょう》があれば、人《ひと》から反対《はんたい》されたくらいでは心《こころ》は揺《ゆ》るがなくなるよ。

プラトンは、完全《かんぜん》で純粋《じゅんすい》なものは「イデア」にしかなく、この世《よ》にあるものはすべてゆがんでいると言《い》った。イデアは夢《ゆめ》や理想《りそう》と言《い》い換《か》えられる。１００％完全《かんぜん》な夢《ゆめ》を達成《たっせい》するのは難《むずか》しいことでも、夢《ゆめ》に近《ちか》づくことは大切《たいせつ》だよ。たとえばサッカーのJリーガーになりたいという夢《ゆめ》があれば、サッカーを続《つづ》けること、試合《しあい》に出《で》ることで夢《ゆめ》に近《ちか》づいているんだ。夢《ゆめ》に近《ちか》づいたことが、これからの人生《じんせい》の君《きみ》の力《ちから》になるよ。

Q

生《い》きている
意味《いみ》はあるの？

A

生《い》きる意味《いみ》は
自分《じぶん》で見《み》つける
ものだよ

哲学的《てつがくてき》KEYWORD《キーワード》

ジャン＝ポール・サルトル（1905～1980）

「人間《にんげん》は自由《じゆう》の刑《けい》に処《しょ》せられている」

〝命《いのち》〟は与《あた》えられたものだけど、生《い》きている意《い》味《み》は人《ひと》から与《あた》えられるものではないんだ。ジャン＝ポール・サルトルは、「実存《じつぞん》は本質《ほんしつ》に先立《さきだ》つ」と言《い》ったよ。実存《じつぞん》とは〝ここにある〟こと。本《ほん》質《しつ》とは〝意味《いみ》〟。つまり、君《きみ》が生《い》きる〝意味《いみ》〟よりも前《まえ》に、君《きみ》が〝ここにある〟んだ。

同時《どうじ》にサルトルは「人間《にんげん》は自由《じゆう》の刑《けい》に処《しょ》せられている」とも言《い》った。君《きみ》には自由意志《じゆういし》があるということなんだ。自由《じゆう》は楽《たの》しいことばかりではないよ。〝自由《じゆう》〟と〝責任《せきにん》〟はセットになっていて、不安《ふあん》も常《つね》につきまとう。「刑《けい》に処《しょ》せられている」と怖《こわ》い表現《ひょうげん》を使《つか》ったサルトルの意図《いと》は、責任《せきにん》と不安《ふあん》の刑《けい》ということだろうね。

自由《じゆう》は辛《つら》いものだけど、君次第《きみしだい》で辛《つら》い以上《いじょう》に楽《たの》しく、充実《じゅうじつ》したものになるよ。人《ひと》から与《あた》えられた生《い》きる意味《いみ》は本物《ほんもの》ではないよ。「こう生《い》きたい！」という強《つよ》い意志《いし》を持《も》って自分《じぶん》で決《き》めてほしい。

Q 幸《しあわ》せって何《なに》？

A

幸《しあわ》せとは
自分《じぶん》で
考《かんが》えて
行動《こうどう》する
ことだよ

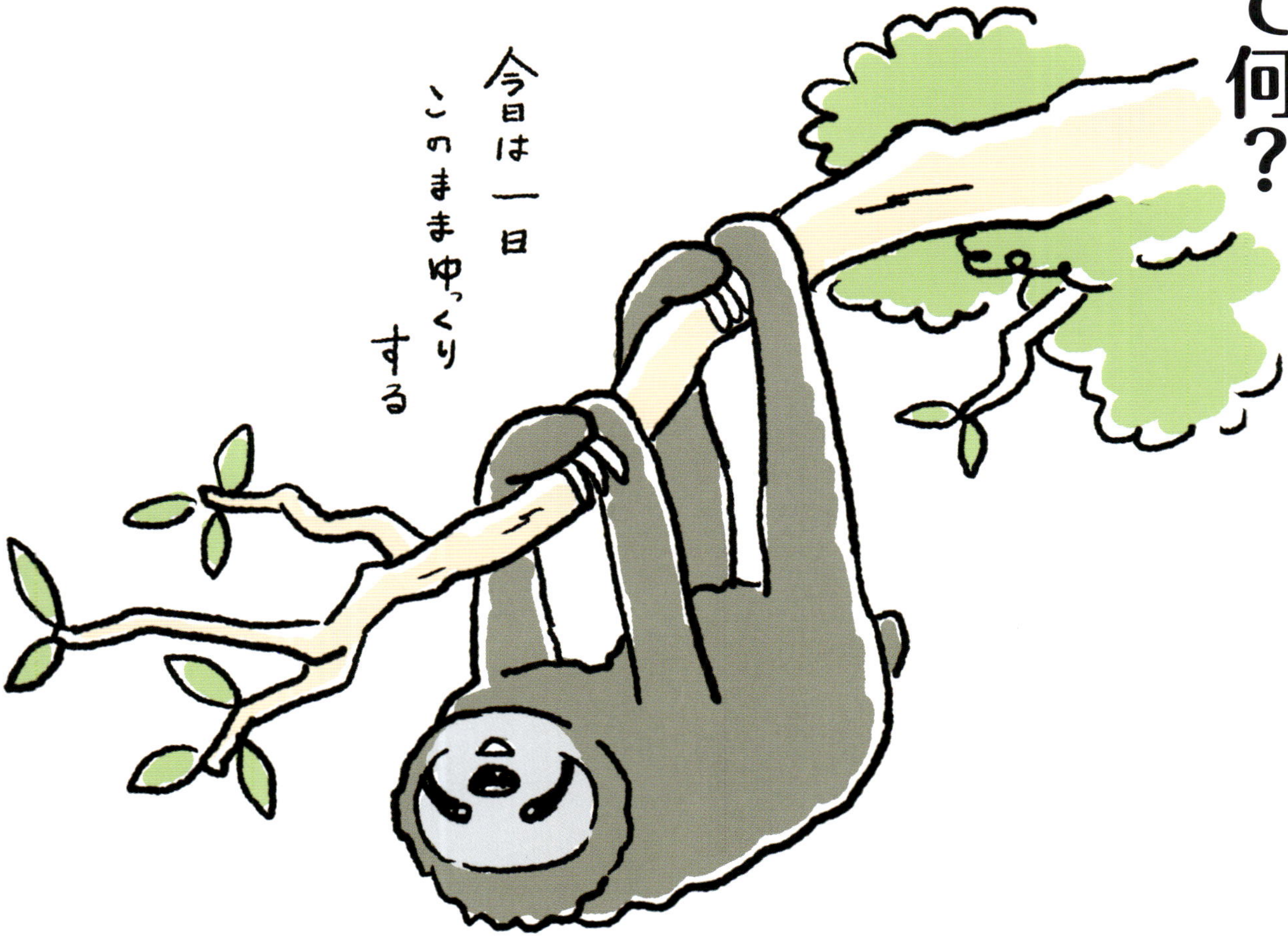

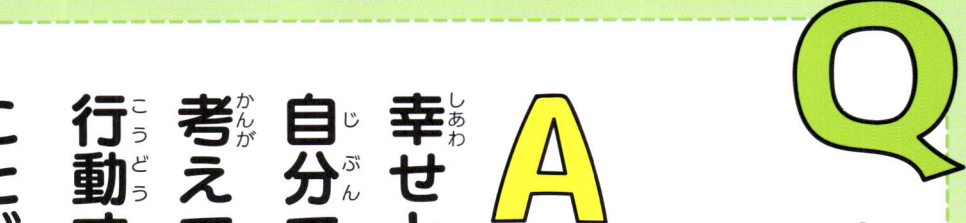

哲学的《てつがくてき》KEYWORD《キーワード》

新渡戸稲造《にとべいなぞう》（1862～1933）

「人生《じんせい》の目的《もくてき》は人格《じんかく》の完成《かんせい》である」

人《ひと》によって「幸《しあわ》せ」を感《かん》じる瞬間《しゅんかん》は違《ちが》うけど、「幸《しあわ》せ」を感《かん》じている全員《ぜんいん》の共通点《きょうつうてん》があるんだ。それは〝幸《しあわ》せだと思《おも》う自分《じぶん》を認《みと》めていること〟。そんなの当《あ》たり前《まえ》じゃないか～、と思《おも》うかもしれないけど、実《じつ》はすごく重要《じゅうよう》なことなんだよ。自分《じぶん》は幸《しあわ》せだ！　と認《みと》めることを哲学《てつがく》用語《ようご》で「自己肯定感《じここうていかん》」と言《い》うんだけど、「自己《じこ》肯定感《こうていかん》」が低《ひく》いと、何《なに》をやっても「どうせ自分《じぶん》なんて…」という後《うし》ろ向《む》きの考《かんが》え方《かた》になってしまう。それでは、いつになっても幸《しあわ》せにはなれないよね。今《いま》の世《よ》の中《なか》では「自己肯定感《じここうていかん》」が低《ひく》い人《ひと》が結構《けっこう》多《おお》いんだ。なんだか悲《かな》しいよね。『武士道《ぶしどう》』を書《か》いた新渡戸稲造《にとべいなぞう》は「人生《じんせい》の目的《もくてき》は人格《じんかく》の完成《かんせい》である」と言《い》ったけど、明確《めいかく》な目的《もくてき》を持《も》つことが幸《しあわ》せにつながることも多《おお》いよね。人生《じんせい》の目的《もくてき》を達成《たっせい》するためには、自分《じぶん》の意思《いし》がはっきりしていて、自分《じぶん》で考《かんが》えて行動《こうどう》することが大切《たいせつ》だよね。

"愛《あい》"は「心《こころ》を受《う》ける」こと

「人《ひと》は、されたようにするようになる」という言《い》い伝《つた》えがあるんだ。上級生《じょうきゅうせい》や親《おや》から暴力《ぼうりょく》を受《う》けると、やがて自分《じぶん》が上級生《じょうきゅうせい》になった時《とき》、親《おや》になった時《とき》に暴力《ぼうりょく》をふるう人《ひと》になってしまうだろう。これを「負《ふ》の連鎖《れんさ》」と言《い》うよ。

人《ひと》にイヤなことをされたら、仕返《しかえ》しをしたくなるよね。人《ひと》はされたことを無《む》意識《いしき》に人《ひと》にしてしまうんだ。でも君《きみ》も人《ひと》にイヤなことをしていたら、負《ふ》の連鎖《れんさ》はとまらないんだ。だから、人《ひと》からイヤなことをされたら、「人《ひと》にはしないぞ！」という強《つよ》い理性《りせい》をもって、負《ふ》の連鎖《れんさ》を断《た》ち切《き》ってほしい。

そして、人《ひと》にされた嬉《うれ》しいことは、どんどん人《ひと》にしよう。人《ひと》は愛《あい》された経験《けいけん》があるから、人《ひと》を愛《あい》することができるんだよ。

また、「自分《じぶん》が愛《あい》した人《ひと》の価値《かち》が、自分《じぶん》の価値《かち》となる」とも言《い》うよ。ダメな人《ひと》を愛《あい》すると自分《じぶん》もダメになってしまうし、魅力的《みりょくてき》な人《ひと》を愛《あい》すると自分《じぶん》も魅力的《みりょくてき》な人《ひと》になる。ちょっと大人《おとな》の話《はなし》かもしれないけど、やがてわかる時《とき》がくるだろう。

第《だい》5章《しょう》

命《いのち》についての言葉《ことば》

Q

心《こころ》はどこにあるの？

A

身体《からだ》と心《こころ》は別《べつ》にあるという考《かんが》えを心身二元論《しんしんにげんろん》と言《い》うよ

哲学的《てつがくてき》KEYWORD《キーワード》

ルネ・デカルト（1596～1650）

「我思《われおも》う、ゆえに我《われ》あり」

人間《にんげん》の心《こころ》、理性《りせい》や感情《かんじょう》はどこにあるのか？アリストテレスは〝胸《むね》（心臓《しんぞう》）〟にあると言《い》ったよ。確《たし》かに緊張《きんちょう》すると胸《むね》がドキドキするよね。ヒポクラテスは〝脳《のう》〟にあると言《い》った。人間《にんげん》は脳《のう》で喜《よろこ》びや悲《かな》しみを感《かん》じるからだね。

一方《いっぽう》、「近代哲学《きんだいてつがく》の父《ちち》」であるルネ・デカルトは身体《からだ》と心《こころ》は別々《べつべつ》に存在《そんざい》していると考《かんが》えていたよ。身体《からだ》と心《こころ》は脳《のう》の中央部《ちゅうおうぶ》にある松果体《しょうかたい》という小《ちい》さな器官《きかん》を通《とお》して作用《さよう》し合《あ》っていると言《い》った。松果体《しょうかたい》こそが「魂《たましい》のありか」だとデカルトは思《おも》っていたんだ。

さらに、デカルトは世《よ》の中《なか》に存在《そんざい》している万《ばん》物《ぶつ》は本当《ほんとう》に存在《そんざい》しているのか？と、この世《よ》の中《なか》のすべてを疑《うたが》っていったけど、ただひとつだけ存在《そんざい》を疑《うたが》えないものがあることに気《き》がついた。それは〝疑《うたが》っている自分《じぶん》の意識《いしき》〟。それこそが心《こころ》だよね。その時《とき》にデカルトが表現《ひょうげん》した言葉《ことば》が「我思《われおも》う、ゆえに我《われ》あり」なんだ。

Q

花《はな》や木《き》にも心《こころ》はあるの？

A

君《きみ》は
どう
思《おも》うかな？

哲学的《てつがくてき》KEYWORD《キーワード》

アリストテレス（BC384〜BC322）

「神《かみ》、天使《てんし》、人間《にんげん》、生物《せいぶつ》、鉱物《こうぶつ》という上下関係《じょうげかんけい》がある」

植物《しょくぶつ》にも命《いのち》はある。しかし神経《しんけい》が通《とお》っていないから、植物《しょくぶつ》は痛《いた》みを感《かん》じないはずだね。木《き》の枝《えだ》を折《お》っても、木《き》は痛《いた》みを感《かん》じないだろう。しかし、折《お》った枝《えだ》はやがて枯《か》れて死《し》んでしまうね。

「動物学《どうぶつがく》の祖《そ》」とも呼《よ》ばれるアリストテレスは、生物《せいぶつ》を分類《ぶんるい》したんだ。この世界《せかい》を、神《かみ》、天使《てんし》、人間《にんげん》、生物《せいぶつ》、鉱物《こうぶつ》という関係《かんけい》に整理《せいり》した。植物《しょくぶつ》に命《いのち》はあるが心《こころ》はないと考《かんが》える哲学者《てつがくしゃ》が多《おお》いけれど、法隆寺《ほうりゅうじ》の宮大工《みやだいく》である西岡常一《にしおかつねかず》は、「木《き》と話《はな》し合《あ》いをしないと本当《ほんとう》の大工《だいく》になれない」と言《い》ったよ。

ある実験《じっけん》で、同《おな》じ品種《ひんしゅ》の植物《しょくぶつ》をふたつ用意《ようい》し、ひとつに優《やさ》しくてポジティブな言葉《ことば》をかけ続《つづ》け、もうひとつに暗《くら》くてネガティブな言葉《ことば》をかけ続《つづ》けた。すると、ポジティブな言葉《ことば》をかけた植物《しょくぶつ》は生《い》き生《い》きと成長《せいちょう》したけれど、ネガティブな言《こと》葉《ば》をかけた植物《しょくぶつ》は元気《げんき》がなくなってしまったんだ。君《きみ》は植物《しょくぶつ》には心《こころ》はあると思《おも》うかな？

Q

死《し》ぬのが怖《こわ》い

A

〝死《し》〟について考《かんが》えることが生《い》きる意味《いみ》にも通《つう》じるよ

哲学的《てつがくてき》KEYWORD《キーワード》

マルティン・ハイデガー（1889～1976）

「人《ひと》は残《のこ》された時間《じかん》を自覚《じかく》している“死《し》への存在《そんざい》”」

20世紀《せいき》で最《もっと》も重要《じゅうよう》な哲学者《てつがくしゃ》のひとりと言《い》われる、マルティン・ハイデガーは、「人《ひと》は残《のこ》された時間《じかん》を自覚《じかく》している〝死《し》への存在《そんざい》〟」と言《い》ったんだ。きっと動物《どうぶつ》や植物《しょくぶつ》は自分《じぶん》が死《し》ぬことを考《かんが》えることはないよね。人間《にんげん》だけがこれから訪《おとず》れる〝死《し》〟について考《かんが》える存在《そんざい》だと言《い》ったよ。しかし多《おお》くの人々《ひとびと》は、いつかかならず訪《おとず》れる死《し》から目《め》をそむけて生《い》きているだろう。しかしハイデガーは死《し》と向《む》き合《あ》った時《とき》に、自分《じぶん》の生《い》きる意味《いみ》や使命《しめい》を確信《かくしん》し、それに向《む》かって進《すす》む決《けつ》意《い》ができると考《かんが》えたんだ。

人《ひと》は自分《じぶん》の意思《いし》で生《う》まれてくることはできないよね。君《きみ》は気《き》がついた時《とき》には、すでに生《い》きていたはず。これを「投《な》げ出《だ》された存在《そんざい》」と言《い》うよ。そして、これから来《く》る死《し》を意識《いしき》して、自分《じぶん》の使命《しめい》を感《かん》じて生《い》きる決心《けっしん》をする。それこそが人間《にんげん》の尊《とうと》さだよね。命《いのち》は有限《ゆうげん》だからこそ偉大《いだい》なんだよね。

Q

人《ひと》は死《し》んだあとどうなるの？

A

人類永遠《じんるいえいえん》の謎《なぞ》だからいろいろな考《かんが》えがあるよ

哲学的《てつがくてき》KEYWORD《キーワード》

プラトン（BC427〜BC347）

「霊魂不滅《れいこんふめつ》」

　命《いのち》はひとつしかないもので、一度《いちど》失《うしな》ったら再生《さいせい》しないよね。命《いのち》を失《うしな》っても魂《たましい》や精神《せいしん》は残《のこ》るのか？　命《いのち》と魂《たましい》は別物《べつもの》なのか？　これは人類《じんるい》の永遠《えいえん》の謎《なぞ》で、昔《むかし》から人々《ひとびと》は死《し》の恐怖《きょうふ》を乗《の》り越《こ》えるために、さまざまな考《かんが》えを導《みちび》き出《だ》しているんだよ。

　そのひとつが、死《し》んだらすべてが消滅《しょうめつ》して〝無《む》〟になるという考《かんが》え方《かた》。魂《たましい》も心《こころ》もすべてがなくなる…という考《かんが》え方《かた》だね。

　ふたつ目《め》の考《かんが》え方《かた》は輪廻転生《りんねてんしょう》。死《し》んだ人《ひと》の魂《たましい》は〝この世《よ》〟から〝あの世《よ》〟へと向《む》かい、やがては生《う》まれ変《か》わって〝この世《よ》〟に戻《もど》ってくるという考《かんが》え方《かた》もあるよ。

　みっつ目《め》はプラトンが言《い》った霊魂不滅《れいこんふめつ》。肉体《にくたい》が死《し》んだ後《あと》も魂《たましい》はそのまま存在《そんざい》するという考《かんが》え方《かた》だ。もしそうなら、生前《せいぜん》に正《ただ》しい行《おこな》いをした人《ひと》は天国《てんごく》に行《い》き、悪《わる》い行《おこな》いをした人《ひと》は地獄《じごく》に堕《お》ちるということだね。

Q 人《ひと》はどうして人《ひと》を殺《ころ》すの？

A

「種保存《しゅほぞん》の本能《ほんのう》」が働《はたら》いていない人《ひと》が人《ひと》を殺《ころ》すんだ

哲学的《てつがくてき》KEYWORD《キーワード》

コンラート・ローレンツ（1903～1989）

「“種保存《しゅほぞん》の本能《ほんのう》”が働《はたら》いていない動物《どうぶつ》」

多《おお》くの動物《どうぶつ》のオスは、縄張《なわば》りやメスの取《と》り合《あ》い、権力争《けんりょくあらそ》いで戦《たたか》う場合《ばあい》がたくさんある。ケンカをして、どちらかが負《ま》けを認《みと》めて、敗北《はいぼく》のサインを出《だ》すか、その場《ば》から逃《に》げるなどでその戦《たたか》いは終《お》わる。勝《か》ったオスは、敗北《はいぼく》のサインが出《で》たら攻撃《こうげき》をやめて、相手《あいて》の命《いのち》を奪《うば》うまで攻撃《こうげき》はしないものだ。ボス猿《ざる》は負《ま》かした猿《さる》を殺《ころ》すまでケンカはしないよね。

これを動物行動学者《どうぶつこうどうがくしゃ》のコンラート・ローレンツは「攻撃《こうげき》の儀式化《ぎしきか》」と言《い》ったんだけど、人間《にんげん》だけは相手《あいて》を殺《ころ》してしまうこともある。「人間《にんげん》は本来《ほんらい》あるはずの、種族《しゅぞく》が絶滅《ぜつめつ》しないための、〝種保存《しゅほぞん》の本能《ほんのう》〟が働《はたら》いていない動物《どうぶつ》」だとローレンツは言《い》ったんだ。

人間《にんげん》の攻撃性《こうげきせい》と優越感《ゆうえつかん》がなくならない限《かぎ》り、戦争《せんそう》はなくならないとローレンツは主張《しゅちょう》した。本能《ほんのう》や感情《かんじょう》を理性《りせい》でコントロールするのが人間《にんげん》のはずなのに、悲《かな》しいよね。

著者

岩村太郎（いわむら・たろう）

1955年、東京都大森生まれ。恵泉女学園大学名誉教授、元副学長。慶應義塾大学文学部哲学科卒業、同大学院修士課程修了、同大学院博士課程満期退学。エディンバラ大学神学部留学。哲学やキリスト教倫理学を専門とし、抽象的思考能力を身につける教育を目指して学生たちに哲学の講義を行ってきた。著書『賢い悪魔』（新教出版社）、論文「杉原千畝とロシア正教」などがある。

10歳の君に贈る、心を強くする26の言葉
哲学者から学ぶ生きるヒント

2018年10月23日　第１刷発行
2023年２月１日　第16刷発行

著　　者　岩村太郎
発 行 者　永松武志
発 行 所　えほんの杜
〒112-0013
東京都文京区音羽2-4-2
TEL. 03-6690-1796　FAX. 03-6675-2454
URL http://ehonnomori.co.jp
印刷・製本　株式会社広済堂ネクスト

イラスト　千野エー
装　　丁　山内宏一郎（SAIWAI DESIGN）
本文デザイン　有限会社エムアンドケイ　茂呂田 剛
企画編集　株式会社ジータ　渡邊亜希子、立川 宏、久保千尋

哲学者の言葉は、子ども向けに意訳したものも含みます。

ISBN978-4-904188-51-4